De drie weesjongens

Bies van Ede
Met tekeningen van Yolanda Eveleens

LEESNIVEAU

avontuur

Toegekend door Cito i.s.m. KPC Groep

1e druk 2008
ISBN 978.90.276.6904.9
NUR 282

© 2008 Tekst: Bies van Ede
Illustraties: Yolanda Eveleens
Uitgeverij Zwijsen B.V., Tilburg
Vormgeving: Rob Galema

Voor België:
Zwijsen-Infoboek, Meerhout
D/2008/1919/243

Inhoud

Wilg, Berk en Eik

Dit verhaal is heel lang geleden waar gebeurd. Zó lang geleden dat niemand het meer weet, maar toch is het zo.

Het waren in die tijd gevaarlijke tijden voor de mensen. Om de steden stonden daarom dikke muren met grote poorten die 's nachts stevig dichtgingen om soldaten, vreemdelingen en gespuis buiten te houden. Utrecht was zo'n stad.

In Utrecht waren ze vaak bang dat er jaloerse graven uit andere graafschappen zouden komen om de stad te veroveren. Er stond bijvoorbeeld een prachtige kerk, die ze de Dom noemden. Hij had de hoogste kerktoren van het hele land. Alle steden uit de buurt waren jaloers op die kerk, dus ze zouden de stad best eens kunnen aanvallen om die kerk te stelen.

Er werd daarom vaak bezorgd gefluisterd in de stad.

'Zou er binnenkort oorlog komen?' fluisterden de mensen.

'Buiten de stad wonen monsters,' zeiden anderen. 'Laten we maar niet de stad uit gaan, want reizen is levensgevaarlijk!'

Er woonden lang, lang geleden – in de tijd van dit verhaal – drie broers in het weeshuis van Utrecht: Wilg,

Berk en Eik. De priesters van de Dom waren de baas in het weeshuis. Zij zorgden voor de weeskinderen. Strenge priesters waren het en hun baas, een dikke en belangrijke priester, was het allerstrengst. Vader Augustinus heette hij. Ze zagen hem bijna nooit, omdat hij belangrijkere dingen te doen had dan op weeskindertjes te passen.

Dat Wilg, Berk en Eik broers waren, kon je gemakkelijk zien. Berk had een te kort been, Wilg was half doof en Eik behoorlijk blind. Met zulke afwijkingen moesten ze wel familie zijn, al wisten ze geen van drieën wie hun ouders waren.

Wilg was te vondeling gelegd aan de voet van de Domtoren onder een wilgenboom.

Eik was als pasgeboren baby'tje gevonden bij een van de zijbeuken van de Domkerk, waar een eik stond. De muren van de kerk waren zó hoog, dat ze niet uit zichzelf rechtop konden blijven staan. Ze moesten gesteund worden door dikke, gemetselde pilaren die steunberen heetten.

Berk was door een onbekende vrouw bij het weeshuis gebracht. 'Ik ben niet de moeder, hoor! Ik ben de buurvrouw. Hij heet Berk, volgens mijn buurvrouw,' had ze gezegd. Daarna was ze er als een haas vandoor gegaan.

De drie broers werkten overdag, vanwege hun voornamen, bij een timmerman. Dat was niks bijzonders. Alle weeskinderen moesten hun eigen kostje verdienen in die tijd. Schoolgaan was alleen voor de rijke kinderen die een gemakkelijk leventje leidden en elke dag gewoon avondeten kregen.

's Avonds, als er niets te doen was omdat de kaarsen in het weeshuis al heel vroeg uitgingen, vertelden ze elkaar spannende avonturenverhalen over later als ze groot zouden zijn.

Wilg wilde ontdekkingsreiziger worden. Hij wilde op plaatsen komen, waar nog nooit iemand geweest was. Op hoge bergen of in diepe grotten, op wijde zeeën en onafzienbare woestijnen.

Berk wilde schattenjager worden. Er waren overal in het land schatten begraven door dwergen of rijke struikrovers die vergeten waren waar ze hun spullen gelaten hadden. Als je één zo'n schat vond, was je de rest van je leven steenrijk. Je moest natuurlijk wel goed kunnen graven en dat was een beetje lastig met een te kort been. Welke van de twee had je nodig om een schep goed in de grond te trappen?

Eiks plan was het eenvoudigst: held zijn. In gedachten zag hij het al helemaal voor zich, want zijn dromen zag hij scherper dan de wereld buiten zijn hoofd. Hij ging een draak verslaan en met de jonkvrouw trouwen.

Het waren fijne plannen voor jongens van tien jaar. Ze hadden nog jaren en jaren de tijd om te bedenken hoe ze het allemaal voor elkaar zouden krijgen.

'Een held en een jonkvrouw leven lang en gelukkig,' zei Eik in zijn smalle, harde bed.

'Een ontdekkingsreiziger ziet de hele wereld,' verzon

Wilg.

En Berk zei: 'Een schatgraver wordt hartstikke schat-hemeltjerijk.'

Maar misschien was het wel het gemakkelijkst als ze alle drie held werden, dan konden ze elkaar er tenminste bij helpen.

's Morgens om vijf uur werden de weeskinderen al uit bed gejaagd door de priesters. Ze kregen pap die smaakte naar lijm, en moesten daarna meteen naar hun bazen.

Eik, Wilg en Berk sjouwden de hele dag planken van de ene naar de andere kant van de timmerwerkplaats. Dat was ontzettend moeilijk voor Berk met zijn manke been.

Balken in stukken hakken met een hakbijl was voor hen alle drie een lastig klusje omdat ze soms behoorlijk verkeerd mepten. Ze moesten ook spijkers recht slaan met een hamer. Daar had Eik juist moeite mee. Wilg vond alle klusjes lastig, omdat hij nooit goed verstond wat de timmermansbaas eigenlijk tegen hem zei.

Als er iets misging, kregen ze slaag van hun baas en ook nog eens van de weeshuispriesters. Gelukkig hadden ze elkaar om bij uit te huilen.

En natuurlijk hadden ze elkaar om heldhaftige plannen te maken voor later als ze volwassen waren.

Zo ging het eindeloze jaren en zo had het nog eindeloze jaren kunnen doorgaan. Totdat er iets gebeurde in

Utrecht ...

Er werd weer angstig gefluisterd onder de mensen.

'Ze zeggen ...'

'Ja, dat heb ik ook gehoord ...'

'Wat vreselijk! Hoe moet het nu verder?'

'Niemand weet het!'

Als dat soort dingen gefluisterd worden, weet iedereen dat er iets ergs aan de hand is. Niemand weet precies wát, dus iedereen bedenkt zelf iets.

'Er komt oorlog met de hertog van Gelre. De legers zijn al onderweg om de stad te veroveren!' bedachten sommige mensen.

'Je zult zien dat ze onze prachtige Domkerk komen stelen!'

'De vis gaat onbetaalbaar worden!' zeiden anderen, die geen geld hadden om vlees te kopen.

'Er is een monster in de stad gekomen. Het heeft zijn nest onder de Domkerk gemaakt!' zeiden wéér andere mensen.

'Het bewaakt een goudschat! Het gaat pas weg als het drie jonkvrouwen krijgt,' vertelde iemand anders.

'Drie jonkvrouwen, eerlijk waar?'

'Hoe komt het dan aan een goudschat?'

'Die hebben priesters lang geleden begraven. Monsters kunnen goud ruiken, wist je dat niet?'

De meeste mensen in Utrecht vonden het maar een merkwaardig verhaal. Spannend, dat wel, want iedereen was dol op monsters zolang die maar ver weg zaten of onder de grond een goudschat bewaakten waar toch niemand bij kon komen. Bang dat het monster hén zou komen halen, waren de meeste Utrechtenaren niet. Ze waren tenslotte maar gewone mensen die zich zorgen maakten over oorlogen en over de visprijs.

Oorlog en peperdure vis tegelijkertijd, dát was nog eens erg. Dus gingen veel roddels dáárover.

In het weeshuis deden weer heel andere geruchten de ronde, 's ochtends bij de pap met lijmsmaak en bij het avondeten dat naar de ochtendpap smaakte.

Aan de eettafels gonsde het van de bezorgde praatjes. Eigenlijk mochten de weeskinderen niet praten tijdens het eten, maar dat deden ze natuurlijk toch. Zeker als er belangrijke dingen aan de hand waren, zoals misschien een oorlog of eten dat onbetaalbaar werd, of ...

'Het weeshuis wordt afgebroken!' zeiden de weeskinderen.

'De mensen in de stad doen er heel geheimzinnig over. Ze houden steeds hun mond als wij dicht genoeg in de buurt zijn om het te kunnen horen, dus wij denken zeker te weten dat het weeshuis wordt afgebroken.'

'Dat heb ik ook gehoord ...' zeiden andere weeskinderen tegen elkaar. Al hadden ze helemaal niets gehoord, dan zeiden ze toch dat ze het wél gehoord hadden.

En als iets maar vaak genoeg gezegd wordt, wordt het vanzelf waar.

'Wat vreselijk dat ze het weeshuis gaan afbreken! Wat

moeten wij dan?'

'Niemand weet het!'

Voor Wilg moesten ze het driemaal herhalen.

'Niemand weet het, Wilg!'

Toen wist Wilg het ook niet.

Weglopers

Het weeshuis wordt afgebroken ... Dat was het erg-
ste nieuws van alle verontrustende nieuwtjes.

De vis onbetaalbaar? Vis kregen ze toch helemaal
nooit in het Utrechtse weeshuis. Oorlog was niet eens
een nieuwtje, want er was altijd wel ergens oorlog. Een
monster dat onder de Dom woonde, ach ...

Eik, Wilg en Berk wilden wel helden worden, maar
liever wilden ze een huis om te wonen. Dus het verhaal
over het weeshuis dat werd afgebroken ... Ze rilden bij
die gedachte. Want wat zou er met hen gebeuren? Ze
werden misschien uit elkaar gehaald. Alle drie bij een
andere baas in huis moeten wonen ... een slaapplaatsje
onder een werkbank ... Dan kregen ze geen vieze lijmpap, dan kregen ze helemáál geen pap. Weeskinderen
zonder tehuis hadden het slechter dan wie ook.

'We moeten iets doen,' zei Eik. In Wilgs oor schreeuwde hij: 'We gaan ervandoor!'

'Hoe dan?' vroeg Berk.

Eik haalde zijn schouders op. 'Gewoon weglopen. Als
we maar met z'n drietjes bij elkaar blijven.'

Zonder elkaar werd weglopen een hele klus. Eik zou
allesbehalve ver komen. Berk was langzaam en Wilg begreep niets, omdat hij de helft niet verstond.

Weglopen was dus het plan. Zou het inderdaad zo

simpel zijn, gewoon weglopen? Misschien wel ... Was weglopen eigenlijk hetzelfde als ergens héén lopen? Want waar ze heen moesten, wisten ze natuurlijk niet. Misschien was het slim dat eerst te bedenken.

Hadden ze wel tijd om een doortimmerd plan te smeden? Eik dacht van niet.

'Plekken genoeg in de stad om je te verbergen,' vond hij. 'We vinden wel iets.'

Onderweg naar hun werk hadden ze het er samen over.

'Ze doen niet zomaar het weeshuis dicht,' bedacht Eik. 'Ze breken het niet opeens boven onze hoofden af. Er worden natuurlijk eerst nieuwe plekken voor de weeskinderen gezocht.'

Dat klonk logisch. Ze moesten dat vóór zijn, maar hoeveel tijd hadden ze?

Diezelfde ochtend hoorden ze de baas van de timmerwerkplaats tegen iemand schreeuwen: 'Nee, ik wil geen weeskinderen meer erbij! Ik zit barstensvol!'

Toen wist Eik het zeker: de priesters waren al bezig nieuwe plekken voor de weeskinderen te zoeken.

Hij vertelde het nieuws aan Berk en Wilg, toen ze eventjes mochten uitrusten en een stuk oud brood aten.

Zijn broers waren het met hem eens. Stel je voor dat ze vanmiddag bij het weeshuis kwamen en dat een van de priesters van het tehuis tegen hen zei: 'Ik heb een bij-

17

zondere verrassing voor jullie. Jullie krijgen alle drie een ander tehuis!'

Ze rilden bij de gedachte alleen al. Plannen bedenken lukte helaas niet meer. Hun baas kwam kwaad naar hen toe lopen. Hij schreeuwde dat ze luiwammesen waren en zette hen aan het werk. Planken sjouwen, oude spijkers recht timmeren en zaagsel en houtkrullen bij elkaar vegen en opruimen.

Het was al pikkedonker toen ze eindelijk naar huis mochten.

Op straat hoorden ze mensen praten. Er was weer iets gebeurd in de stad. Het gesprek ging over het monster onder de Domkerk.

'Het monster heeft goud uit de Dom gestolen en begraven in zijn ondergrondse hol!' riep een marktkoopman met een kraam vol peren.

'Welnee!' reageerde een vrouw. 'Die goudschat, de juwelen en die kostbaarheden hebben de priesters lang geleden zelf begraven tijdens een oorlog!'

'En wat doen de priesters?' mopperde een man. 'Die zitten vis te eten, onbetaalbare vis. Hun schatten terughalen durven ze niet.'

Berk jatte stiekem drie peren van de marktkraam.

De koopman zag het gelukkig niet, maar de vrouw wel. Ze knipoogde naar hen en maakte een gebaar van: snel wegwezen.

Snel weghollen konden ze niet. Vooral voor Berk was

rennen een lastige zaak. Dus doken ze vlakbij een steegje in.

Ze hoorden de vrouw lachend tegen de marktkoopman zeggen dat er zojuist drie weesjongens met drie peren vandoor waren gegaan.

De koopman begon te tieren. 'Die rotkinderen!' brulde hij. 'Ze moesten alle weeskinderen het hol van dat monster in jagen!'

De mensen rond de kraam lachten luid. Berk en Eik hoorden het, Wilg natuurlijk niet.

Ze aten hun peer, zelfs het klokhuis. Alleen de steeltjes gooiden ze weg.

'Ik lust er best nog een,' zuchtte Eik.

Zijn broers knikten. De pap zouden ze vanavond mislopen. En de pap van morgenochtend ook, want terug naar het tehuis gingen ze natuurlijk niet.

'Wat moeten we nu?' vroeg Wilg. Hij leunde tegen de muur van het steegje. Het lag niet aan hem dat hij het poortje in de muur niet zag. Het was tenslotte al hartstikke donker. Maar toen hij iets opzij leunde, kwam hij tegen de klink van de poortdeur. Het deurtje zwaaide open. Wilg verdween languit achterover in het niets.

Berk en Eik hadden het niet eens onmiddellijk in de gaten. Ze praatten over het monster onder de Dom en de gigantische goudschat en drie gevangen jonkvrouwen.

Wat deed zo'n monster met gestolen jonkvrouwen?

'Opeten,' bedacht Berk.

'Bewaken,' opperde Eik. Dat deden monsters in heldenverhalen altijd. Monsters hadden een goudschat en een mooie prinses die ze bewaakten.

'Echt iets voor ons,' zuchtte Berk. 'Vind je niet, Wilg? Wilg ... Wilg, waar ben je gebleven?'

Het kostte een hele tijd voor ze Wilg vonden, want in het stikdonkere steegje zag Berk de open poortdeur niet.

Pas toen Berk Wilg hoorde kreunen als een boom

in de storm, ontdekten ze waar hij lag. Ze vonden het poortje en gingen erdoor, op Wilgs gekreun af.

Ze hielpen hem overeind. Dat maakte nogal wat lawaai.

Eik mopperde over deuren die 's nachts openstonden en Wilg riep steeds maar: 'Wat? Wat zegt-ie?'

In het huis gingen lichten branden. De drie weesjongens zagen opeens een venster ergens boven zich. Er zaten luiken voor. Helder kaarslicht glipte door de kieren.

Ramen zaten meestal in muren, dat wisten de broers. Ze hadden lang genoeg in een timmerwerkplaats gewerkt. Dat muren meestal bij huizen hoorden, wisten ze ook. En in huizen woonden mensen die het waarschijnlijk niet op prijs stelden als er zomaar drie wildvreemde

jongens in hun tuin stonden.

'Wegwezen,' siste Berk. Hij begon aan Eik te sjorren.

'Wat zeg je?' riep Wilg.

Er kwamen allerlei geluiden uit het huis. Iemand riep: 'Gespuis in onze tuin! Boeventuig en falderappes binnen onze muren!'

Er klonk gebonk en gebolder. Voetstappen kwamen de trap af.

Berk, Wilg en Eik wisten wat er zou gaan gebeuren. Ze moesten maken dat ze wegkwamen. Eik wilde terug door het poortje glippen, maar zag niet waar hij heen moest. Wilg had in het donker iets gezien; een gat nog donkerder dan de nacht. Hij rukte aan Berk en sjorde Eik mee.

In het huis was iedereen intussen in rep en roer. De achterdeur ging open. Een dikke man in een nachthemd en met een slaapmuts op stormde naar buiten. Hij had een stevige knuppel vast.

Uit het huis klonk een angstige vrouwenstem: 'Heb je ze gepakt, Hendrik? Als het dat monster is ...' Ze maakte haar zin niet af, maar barstte in snikken uit.

De tuin was leeg. Niemand te zien, niets te zien, op het open tuinpoortje na. Dat deed de dikke man in het nachthemd natuurlijk stevig op slot.

Hij zwaaide daarbij vervaarlijk met zijn knuppel. Hij liep de tuin door en bekeek alle hoeken. Niets en niemand te zien. Ook geen monster, gelukkig.

'Er is helemaal niets in de tuin, Johanneke!' riep hij terug.

Toen controleerde hij de deuren van het pakhuis in zijn tuin. Hij ontdekte dat ze wel dicht waren, maar niet afgesloten. Vloekend en briesend op de stommelingen die het pakhuis én de tuinpoort hadden opengelaten, klikte hij grote hangsloten vast. Daarna ging hij gauw terug naar binnen, naar zijn warme bed.

'Ik heb ze weggejaagd,' vertelde hij tegen Johanneke. 'Tegen mijn knuppel durft zelfs geen monster op! Maar als ik die sjouwers in mijn vingers krijg die de tuinpoort hebben opengelaten ...' Hij ging met een plof op de rand van zijn bed zitten. 'Houd jij nou eens op met dat stomme huilen,' bromde hij. 'Wees blij dat ik met je getrouwd ben, want nu ben je zowat de rijkste vrouw van Utrecht. Je zou moeten lachen in plaats van steeds maar huilen.'

'Maar, de meisjes ...' snikte Johanneke.

'Ach wat, de meisjes!' brieste Hendrik. 'Wees blij dat ik het boeventuig heb verjaagd en dat er niets is gestolen uit mijn pakhuis! Als je niet kunt stoppen met huilen, ga je maar in de logeerkamer slapen. Ik heb mijn nacht-rust nodig. Ik moet morgen weer tellen en cijfers in de boeken schrijven!'

En dus lag Johanneke even later huilend en helemaal alleen in de logeerkamer.

Appeltjes

Eik tastte om zich heen. Hij zag geen hand voor ogen natuurlijk. Zijn broers zagen ook helemaal niets, want het was stikke-, stikkedonker. Eik voelde wel van alles. Zachte dingen die terugveerden, harde, heerlijk ruikende dingen ...

'Hé, psssst,' zei hij tegen Wilg en Berk. 'Kom eens hierheen.'

Wilg en Berk schuifelden op zijn stemgeluid af.

'Voel eens?' zei Eik.

Wilg en Berk voelden.

'Lappen stof,' zei Berk.

'Hé, ik voel stoffen lappen,' zei Wilg. Die had natuurlijk weer niet gehoord wat Berk zei.

Eik bedacht: 'Heerlijk zacht en warm ... we kunnen hier blijven slapen.'

De drie weesjongens waren doodmoe van het weglopen en vluchten. Ze hadden nog steeds ontzettende honger, want een peertje is natuurlijk lekkerder dan lijmpap, maar je maag raakt er niet bepaald gevuld van.

'Ruiken jullie het ook?' vroeg Eik.

Wilg en Berk schudden hun hoofd, maar dat zag natuurlijk niemand in het stikkedonker.

'Waddan?' vroeg Berk.

'Wat?' zei Wilg.

Eik zette zijn neusgaten wijd open en kroop op de geur af. Wat zijn ogen niet konden zien, kon zijn neus prima ruiken: zoete appeltjes.

Eik kroop een eindje op de geur af. Berk en Wilg volgden hem. Zij zagen, net als Eik, ook niets, maar Eik rook tenminste beter.

'Hier,' zei Eik na een tijdje.

Berk tastte voor zich. Hij voelde hout, houten plankjes, plankjes van kisten misschien. In die kisten ... lagen appels!

De drie broers aten appels, lekkere, zoete, rimpelige appeltjes, tot ze dachten dat ze uit elkaar zouden ploffen.

Toen kropen ze terug naar de plek waar de zachte lappen lagen. Ze wikkelden zich erin en sliepen als rozen.

Toen Berk de volgende ochtend wakker werd, had hij eventjes helemaal geen idee waar hij was. Niet in het weeshuis, daar waren de bedden niet zo heerlijk zacht. Niet in de timmerwerkplaats, niet in ...

Berk voelde de zachte stof waarop hij lag. Hij herinnerde zich de lekkere appeltjes en dacht: zou dit de hemel wezen?

Wilg sliep nog. Hij praatte in zijn slaap. 'Watte?' mompelde hij.

'Eik,' fluisterde Berk, 'jij bent gewend dat je niets kunt zien. Jij kunt veel beter niets zien dan ik. Kijk eens rond? Waar zijn we?'

Eik gaapte luid. 'Het is nog steeds hartstikke donker,' zei hij slaperig. 'Óf het is nog nacht, óf de zon is uit de hemel gevallen, óf we zitten ergens in het donker.'

'Ik kies de laatste mogelijkheid,' zei Berk. 'Ik denk dat we in het donker zitten. Bedankt, Eik.'

Hij kroop uit de zachte, warme lappen en ging op zoek naar ... ja, waarnaar eigenlijk? Een buitendeur misschien, of een luik. Onderweg pakte hij een appeltje uit een kist en at het lekker op. Als dit de hemel was, wilde hij hier best een hele poos blijven.

Berk vond ergens een luik dat hij met ontzettend veel moeite een stukje open kreeg.

Licht gluurde door een tralieraam naar binnen. Berk keek achterom en hield zijn adem in.

Ze waren op een plek die best de hemel had kunnen zijn, maar het wás gewoon een pakhuis. Eik en Wilg lagen heerlijk in een opgerold vloerkleed. Zelf had hij ook in een vloerkleed liggen slapen, zag Berk. Naast de vloerkleden lagen schapenvachten en daarnaast stonden kolenkratten. Dáár weer naast stonden appeltjes opgestapeld in kratten. Er waren stapels kazen, er stonden vaten bier, er lagen bergen schoenen, hopen kleren. Er lag zowat van alles wel iets in het pakhuis.

'De hemel,' verzuchtte Wilg. 'Dit is toch de hemel, wat, wat?'

De hemel ... hoe waren ze hier binnengekomen? Waarschijnlijk gewoon door de deur, dachten ze. Maar door die deur konden ze niet meer naar buiten. Hij zat inmiddels op slot.

Ze aten zich propvol aan appeltjes, dronken honingbier uit kruiken en hadden het ontzettend gezellig samen. Misschien was dit écht de hemel wel.

Toen ze nog een tukje hadden gedaan om hun volle buiken een pleziertje te doen, zei Berk: 'Ik denk dat dit een pakhuis is.'

'Ja?' zeiden zijn broers luid in koor.

'Nou,' zei Berk, 'een pakhuis is altijd van iemand. Enne ...'

'Ja?'

'Er zou straks best iemand kunnen binnenkomen. Misschien die kwaaie man van vannacht wel.'

Wilg hoorde het niet goed, maar ging wel meteen rechtovereind zitten toen Eik omhoog schoot.

'Waar moeten we ons verbergen?' vroeg Eik bezorgd. 'Waar kunnen we heen?'

'Wat?' vroeg Wilg.

'Helden horen eigenlijk niet te vluchten of zich te verbergen,' zei Eik.

'We kunnen ...' zei Berk. 'We kunnen ... Hebben jullie wel eens een hut gebouwd? Ik niet.'

Eik en Wilg hadden ook nog nooit een hut gebouwd. Dat soort dingen mochten helemaal niet in het weeshuis. De kinderen zaten daar niet voor hun lol, vonden de paters. Kinderen moesten pap eten, werken en niet zeuren of klagen.

'Hutten bouwen is vast leuk ...' zei Eik.

Daar had hij gelijk in! Ze bouwden samen een hele tijd met kratten, dierenvellen, planken, stukken stof en nog meer kratten ...

Ze maakten een prachtige hut. Die hut leek op een stapel kratten en een flinke berg schapenvachten. Je zag helemaal niet dat het eigenlijk een hut was. Daar konden ze zich prima verborgen houden. En het fijne was: ze hadden meer dan genoeg eten hier in het pakhuis.

De broers waren geweldig tevreden met hun nieuwe onderkomen.

Hebbes!

Een week lang hadden de broers het ontzettend naar hun zin. Een paar dingen waren wel vervelend: ze durfden overdag niet naar buiten. Stel je voor dat ze gezien werden! Ze wilden later wel helden worden, maar ze waren het nog lang niet. Dat was overduidelijk.

Overdag liepen ze grote kans om ontdekt te worden in hun hut. Het was namelijk steeds nogal druk in het pakhuis. Ze moesten voortdurend oppassen.

Het pakhuis was van een handelaar. Dat moest wel een schatrijke man zijn, als je zag wat hij allemaal kocht. Er werden stapels dierenhuiden binnengebracht en kratten met vaatwerk, borden, kommen, kannen, kruiken. Die steenrijke man kocht van alles. Daarna verkocht hij alles natuurlijk weer aan rondreizende kooplui die met hun karren het hele land door gingen. Maar het vreemde was: er kwam enorm veel bij in het pakhuis, maar er ging helemaal niets uit. Alsof de rijke koopman alleen maar spullen spáárde in zijn pakhuis.

En 's nachts was er een geheimzinnige zwarte sluiper die op kousenvoeten door het pakhuis sloop. Het was een man. Dat hoorden Eik en Berk aan zijn voetstappen. Hij kwam zachtjes binnen, sloop zachtjes het pakhuis door en verdween. De jongens zagen niet waar hij vandaan kwam of waar hij heen ging. Ze hóórden het alleen. Behalve Wilg dan, natuurlijk.

Wat deed die sluiper eigenlijk? Wie was hij en wat moest hij in het stikkedonker in het pakhuis?

Het was geheimzinnig en volgens Berk deugde het helemaal niet. Eik had goede oren en hij hoorde fluisteren diep onder de grond. Hij vertelde de anderen wat hij hoorde als de zwarte sluiper weer was teruggegaan zoals hij gekomen was.

'Zijn ze er al?' hoorde hij, en 'Kom op met dat goud.'

Dat was volgens Eik zo'n beetje alles wat er gezegd werd.

De drie broers hadden net smakelijk gegeten van de appeltjes met kaas als toetje, toen ze mensen hoorden buiten. De enorme pakhuisdeur zwaaide open. Sjouwers kwamen binnen met kratten, pakken, kuipen en kisten. Ze mopperden dat er bijna geen plaats meer was om alles neer te zetten.

'Waarom blijft hij steeds maar nieuwe spullen kopen?' mopperde een sjouwer tegen een andere.

'Waarom stouwt Bosman zijn pakhuis propvol?'

'Omdat-ie een rijke stinkerd is,' hijgde de ander, een biervat vooruit rollend. 'Rijke stinkerds sparen wat ze kunnen. Daarom worden ze steeds rijker.'

De voorste sjouwer zette zijn krat neer en pakte een doek om zijn voorhoofd af te vegen.

'Misschien is het voor de oorlog. Dan gaat er altijd

van alles kapot en wordt er geroofd en gepikt door soldaten. Dan moeten de mensen allemaal nieuwe spullen kopen.'

'Wat?' siste Wilg tegen Berk en Eik in hun hut. 'Wat zegt hij?'

Berk en Eik konden het ook niet goed verstaan, omdat de sjouwer begon te fluisteren. Ze hoorden maar een paar woorden: monster en Domkerk.

Toen de sjouwers weer hardop begonnen te praten, hoorden de drie broers alleen maar: 'Wat erg eigenlijk voor die drie meisjes!' en 'Lekker eigen schuld dikke bult voor zo'n rijke stinkerd.'

'Dat is helemaal niet aardig om te zeggen!'

'Ach, wij sjouwen ons een breuk en Bosman zit schatrijk te wezen in zijn prachtige huis!'

De mannen zetten hun lading op een leeg plekje en gingen het pakhuis uit.

De broers begrepen het allemaal niet goed. Ze konden er natuurlijk niet naar vragen bij de sjouwers. Op straat naar verhalen luisteren ging ook al niet, want ze konden overdag het pakhuis niet verlaten. 's Avonds ook niet, trouwens.

'Hoelang kunnen we hier blijven wonen?' vroeg Berk zich hardop af. 'Over een maand hebben we alle appeltjes waarschijnlijk op.'

'Dan beginnen we gewoon aan de kazen,' antwoordde Eik. 'Ik vind het saai worden, elke dag appels eten.'

'Wat?' vroeg Wilg. 'Nóg meer appels?'

'Zouden ze ons al missen in het weeshuis?' vroeg Eik zich af.

'Misschien bestaat het weeshuis niet eens meer,' zei Berk. 'Wie weet hebben ze het al gesloopt.'

'Wat?' vroeg Wilg. 'En de oorlog? Is het al oorlog? Wie gaat er winnen?'

Zijn broers zuchtten. 'Neem nog maar een appeltje, Wilg.'

'Als we hier nog vijf jaar blijven wonen, zijn we bijna groot,' zei Berk. 'Dan zijn we uit onze kleren gegroeid. Gelukkig liggen hier stapels grotemensenkleren. Zouden we dan al groot genoeg zijn om helden te worden?'

'Vijf jaar niet naar buiten,' verzuchtte Eik. 'We kunnen natuurlijk de straat op glippen, als de sjouwers komen, en bedelaars worden in plaats van helden.'

'Nee,' zei Berk. 'Jij ziet het helemaal niet als wachters ons komen wegjagen. Ik kan niet hard genoeg rennen als we moeten weghollen en Wilg hoort niets als we waarschuwen voor gevaar.'

'Zou er niet een sluipdeurtje zijn, hier in het pakhuis?' vroeg Wilg. 'Zal ik eens gaan zoeken? De deur hier naar binnen heb ik ook per ongeluk gevonden.'

Berk vond het best. Hij verveelde zich tenslotte ook. Eik had geen idee waar hij zoeken moest. Hij hobbelde gewoon braaf mee.

Het was flink zoeken, maar uiteindelijk vonden ze twee lage deurtjes. Achter de ene zat een trap naar een heel donkere kelder. Een zwarte kelder, die vast vol zat met spinnen en andere kruipbeestjes. Daar durfden ze niet in. Ze waren tenslotte nog geen helden.

Achter het andere deurtje was een gang. Berk gluurde door een kiertje. Eik legde zijn oor te luisteren.

'Er zit een mevrouw heel verdrietig te huilen,' zei hij. 'Een meneer loopt met boze passen heen en weer en moppert daarbij vreselijk.'

'Kun je horen waarom?' vroeg Berk.

Eik schudde zijn hoofd, want zó goed waren zijn oren jammer genoeg niet.

'Hier wonen anders wel schatrijke mensen,' zei Wilg, die wel slechthorend was maar zeker niet blind.

'Ik zie vijf peperdure jassen hangen en er staan vijf paar ontzettend dure laarzen.'

'Dan zijn er drie mensen niet thuis,' zei Eik, 'want ik hoor er maar twee.'

'Drie meisjes,' zei Berk.

'Hoe weet jij dat?' vroeg Eik.

'Omdat het meisjeslaarzen zijn,' antwoordde Berk. 'Ik ben niet blind of doof, maar ik ben óók niet gek. Er wonen drie meisjes in dit huis.'

'Wat?' zei Wilg.

'Er wonen drie meisjes in dit huis, Wilg!' bulderde Berk.

'Leuk ... drie zussen,' zei Wilg. 'Misschien kunnen we trouwen, dan worden we helemaal écht familie.'

De andere twee antwoordden niet.

'Waar zijn die drie zussen dan?' vroeg Eik. 'Zijn die soms op blote voeten naar buiten?'

'Misschien hebben ze twee paar laarzen,' opperde Berk nadenkend.

'Nee,' zei Eik, 'dat bestaat niet. Zulke rijke mensen bestaan helemaal niet.'

Ze wilden er net over gaan kibbelen toen achter hen stemmen klonken. De grote deuren van het pakhuis gingen open en twee sjouwers kwamen binnen.

De drie broers doken weg. Ze verstopten zich achter kratten en vaten, pakken en bakken. Ze probeerden naar hun hut te sluipen, maar ze waren te laat.

De sjouwers hadden hen gezien en jongetjes vangen vonden ze leuker dan sjouwen. Ze hadden de jongens zó te pakken.

Hendrik Bosman

'Nou, daar zal heer Hendrik tevreden over zijn,' zei de ene sjouwer, die Berk en Wilg vasthad.

De andere schudde Eik voor de zekerheid een beetje door elkaar.

'Dievenvolk in het pakhuis, daar is Bosman zéker niet tevreden over,' zei hij. 'Zeg, wij hebben de buitendeur toch niet per ongeluk opengelaten?'

De andere sjouwer schudde zijn hoofd. 'Eén keertje maar, vorige week. Maar dat vertellen we natuurlijk niet. Deze kleine boeven zijn vast door een kiertje geglipt. Door een open raampje, of achter ons aan, terwijl we aan het sjouwen waren.'

De eerste sjouwer wreef in zijn handen. 'Ik verwacht dat we een flinke beloning zullen krijgen. Kom, laten we deze misdadigers naar heer Bosman brengen.'

De drie broers werden meegenomen, de grote poort uit geduwd, een deurtje in de tuinmuur uit, het steegje door, naar de straat, waar de voorkant van het koopmanshuis was.

Berk was bang voor wat er komen ging. Wat zou de steenrijke koopman zeggen? Wat zou hij doen? Zouden ze naar de stadswachters gestuurd worden en in de gevangenis belanden?

Gelukkig was het weeshuis waarschijnlijk allang afgebroken, bedacht Eik. Anders moesten ze misschien wel terug daar naartoe. Hij wilde absoluut geen lijmpap meer en ook nooit meer werken in de timmerwerkplaats.

Wat hen echt te wachten stond, wisten ze natuurlijk helemaal niet. Ze werden naar de brede straat geduwd aan de voorkant van het huis. Ze moesten langs mensen die hen nastaarden en akelige dingen riepen.

Ze kwamen bij een huis waarvan de voordeur zó hoog zat, dat er een trap naartoe ging. Die trap moesten ze op en daarna werden ze door die hoge voordeur naar binnen geduwd.

Ze kwamen in een lange gang. Daar moesten ze wachten totdat de sjouwers de koopman hadden gewaarschuwd.

'Heer Bosman zal trots op ons zijn,' zeiden de sjouwers tegen elkaar.

Bosman, dacht Berk, moet wel een héél rijke koopman zijn. Wij zijn samen maar drie bomen en hij is in zijn eentje een heel bos!

'Kijk,' fluisterde Wilg. 'Kijk eens wat ik zie?'

Als Wilg dacht dat hij fluisterde, schreeuwde hij eigenlijk want hij kon zijn eigen stem niet goed horen.

'Sssst!' sisten Berk en Eik.

'Wat?'

'Wat zie je dan?' vroeg Berk.

Wilg wees en toen zagen zijn twee broers het ook.

Eik maar een beetje, natuurlijk, maar Berk vertelde het hem.

Ze stonden in een gang die ze al eerder gezien hadden. Een lange gang waar dure laarzen op een rij stonden. Er hingen peperdure jassen boven.

Ze hadden deze gang al eens bekeken, door het deurtje in het pakhuis.

Berk dacht aan de huilende vrouw en de boze stappen van de man. Zou die steenrijke koopman een heel akelige, barse kerel zijn, met akelige dochters?

Hij begon een beetje te beven.

'We kunnen vluchten!' zei Wilg. 'Door dat poortje terug het pakhuis in! In onze hut vinden ze ons nooit!'

Hij zei het zó hard dat het galmde.

Het was een geweldig plan, maar op dat moment kwam een sjouwer weer terug de gang in.

'Meekomen jullie,' beval hij met een gemene grijns.

De drie weesjongens sjokten voor hem uit naar het eind van de lange gang. Daar was een deur met een mooie kamer erachter.

Een mooie kamer? Zo'n mooie kamer als deze hadden de broers nog nooit gezien. De vloer was van prachtig, glimmend gewreven hout. Op de muren was behang geplakt met bladgoud en allerlei kleuren en figuren, te veel om naar te kijken. De meubels in de kamer waren vast en zeker door een beeldhouwer gemaakt. Overal krullen en versierselen, zachte kussens met kwastjes eraan, spiegels met gouden randen, sierlijke tafeltjes met bloemen erop.

In de grote open haard brandde een gezellig vuurtje. En boven die haard ... De drie broers wisten niet wat ze zagen. Het mooiste van deze prachtige kamer was wat er boven de open haard hing: een schilderij met drie meisjes erop. Drie meisjes met mooi haar, prachtige ogen en een glimlach, zó lief dat je er tranen van in je ogen kreeg.

Dat onder dat schilderij een norse man in dure kleren zat, zagen ze niet eens meteen.

Zelfs Eik zag hoe lief, mooi, schattig en prachtig de drie meisjes waren. Hij was op slag verliefd, net als Berk en Wilg.

Met hun monden een beetje open staarden ze naar het schilderij.

'Brutale, onopgevoede spullendieven!' bulderde een boze stem. 'Doe die kaken op elkaar en kíjk naar me!'

Nu pas keken de drie weesjongens naar de rijke heer in de stoel onder het schilderij.

Hij was helemaal kaal en hij had een glimmend hoofd, zo rood als een zoet appeltje, maar dan wel véél en véél groter. En zoet ... nee, eerder zuur en bitter en ontzettend boos, met een nare mond en hebberige, pikzwarte ogen als rotte plekken in een appel.

Onder het glimmende hoofd zat een stevig lijf. Je kon zien dat deze koopman wel wat anders te eten kreeg dan pap. Zijn kleren waren gemaakt door de duurste kleermakers van de stad. Een prachtige groene mantel met een bontrand, een glimmend wit overhemd afgezet met

kant, een pofbroek, zijden kousen en schoenen van het zachtste leer. Aan zijn vingers glommen ringen met edelstenen.

Iemand die zó schatrijk was en zó dik van het lekkere eten moest wel de hele dag in een opgewekt humeur zijn. Maar dat was Hendrik Bosman helemaal niet. Dat zag je meteen.

Wilg en Berk werden er nog stiller van dan ze al waren en zelfs Eik zag dat de koopman niet van plan was aardige dingen te zeggen.

'Nare, gemene pikkendieven ...' begon de rijke koopman.

'Mijn pakhuis leegstelen, hè? Alle spullen waar ik zo hard voor gewerkt heb, mijn voorraad waar de Utrechtenaren hun stuivers en florijnen voor betalen, die wilden jullie komen stelen, hè?'

Alleen een paar appeltjes en een flintertje kaas, wilde Berk antwoorden, maar het leek hem verstandiger zijn mond te houden.

'Nou, ik heb een goede straf voor jullie! Ik zal jullie leren, reken maar! Ik weet heel goed hoe ik kinderen een lesje moet leren! Kinderen en moeders ...'

Wij zijn kinderen zonder vaders en zonder moeders, dacht Berk. Dat scheelt weer. Hij was opeens blij dat hij geen vader had. Liever helemáál geen vader dan een vader als koopman Bosman.

Wilg had alles goed kunnen verstaan, zo hard bulderde de koopman.

Ergens boven begon een vrouw te huilen. Was zij net zo geschrokken van de boze stem?

Berk keek achterom. De sjouwers waren stiekem weggeslopen. Zelfs díé waren bang gevlucht voor het bulderen.

'Iedere duit zal ik van jullie terugkrijgen!' zei koopman Bosman. 'Zelfs de duiten die ik niet terug hóéf te krijgen! Ik zal jullie eens laten voelen wat er gebeurt als iemand aan mijn spulletjes komt. Jullie zouden willen dat ... Oeh!' Bosman was zó kwaad dat hij niet meer uit zijn woorden kwam. Zijn gezicht was zó rood geworden dat het bijna licht gaf.

Boven hoorden ze de vrouw nog steeds huilen.

Wat was dit een akelig huis. Wat een naar paleis voor die drie lieve, mooie, prachtige dochters. Het weeshuis was een vervelende plek, natuurlijk, maar weeskinderen konden altijd nog hopen dat ze later rijk en gelukkig zouden worden. Deze drie prachtige dochters wáren al rijk en of die ooit gelukkig zouden worden met zo'n vader?

'Ik ga jullie ... ik ga jullie mores leren!' bulderde koopman Bosman. 'Ik ga ervoor zorgen dat jullie nooit meer vergeten wat voor akelige snotjongens jullie zijn!'

We moeten terug naar het weeshuis, dacht Eik geschrokken. Maar zo erg was het niet. Het was nog veel erger ...

Tellen

Koopman Bosman was een uiterst nauwkeurig persoon. Alles wat hij kocht, schreef hij in grote rode boeken. Alles wat hij verkocht, schreef hij in andere grote boeken die groen waren. Zo wist hij altijd precies hoeveel spullen hij in zijn pakhuis had, wat hij ervoor had betaald en hoeveel hij ermee verdiende.

De appeltjes en de kazen die Eik, Wilg en Berk hadden opgegeten waren niet verkocht en ze stonden dus niet in de groene boeken. In de rode boeken hoorden ze ook niet thuis, want ze zaten in hun buiken en niet meer in de kisten in het pakhuis.

'Tellen!' had koopman Bosman tegen de drie weesjongens gezegd. 'Alle appeltjes tellen en daarna de kazen wegen.'

Dat deden de broers dus. Ze telden totdat ze niet meer wisten waar ze gebleven waren en dan moesten ze opnieuw beginnen. Appeltje van een volle krat in een lege krat: één ... Volgende appeltje: twéé ... En zo verder totdat ze alweer niet meer wisten waren ze waren gebleven ...

'Duizenddriehonderdvijfenzeventig!'

'Nee, vierenzeventig toch?'

'Ik dacht zesenzeventig.'

En dan begonnen ze maar weer dapper opnieuw.

De koopman kwam aan het einde van de eerste dag kijken. Berk, Eik en Wilg hadden zich suf geteld en natuurlijk ook hier en daar een appeltje gegeten, omdat ze inmiddels rammelden van de honger.

'En?' vroeg Bosman, 'hoeveel appels zijn er nog over?'

Berk dacht vierduizendvijfhonderdtwaalf.

In zijn grote rode boek zocht Bosman op hoeveel appeltjes hij alles bij elkaar gekocht had.

'Ik had er slechts drieduizendvierhonderd!' zei hij. 'Er klopt helemaal niets van. Opnieuw tellen en nu góéd!'

'We zijn zo ontzettend moe ...' zuchtte Eik.

'Niks mee te maken. Toen jullie hier kwamen pikken, waren jullie óók niet moe!'

Dus begonnen ze opnieuw tot het te donker was om

nog iets te kunnen zien. Toen pas mochten ze gaan slapen. Niet in hun hut, maar op een berg stro die koopman Bosman naar binnen smeet.

'En laat ik morgenochtend niet merken dat jullie op zachte dekentjes hebben geslapen of op koeienhuiden!'

De drie broers waren te moe om ongehoorzaam te zijn. Ze sliepen als een blok en in hun dromen telden ze alle sterren van de hemel.

De volgende ochtend kregen ze niet eens lijmpap te eten. Er kwam een bord met brokken oud brood. Dit was nog slechter dan in het weeshuis!

'Die rijke stinkerd eet zelf natuurlijk gebakken eieren met spek op dikke plakken vers brood,' mopperde Berk.

Toen het ontbijt op was, moesten ze weer tellen. Het leek de timmerwerkplaats wel: ze werkten weer net zo hard als vroeger, alleen nu zonder hout.

Eindelijk, eindelijk waren alle appeltjes geteld. Koopman Bosman kwam met zijn grote groene boek aanzetten en berekende dat de drie weesjongens bijna honderd appeltjes hadden opgegeten.

'Dat wordt betalen,' bulderde hij.

Maar ze hadden geen lieve duit, niet eens een halve.

'Dat wordt werken voor jullie!' zei de koopman.

'Daar liggen schoenen!' wees hij. 'Allemaal sorteren en allemaal netjes op een rij zetten!'

Zuchtend gingen de jongens aan het werk.

'Het zal je vader zijn,' kreunde Eik.

Dat deed Berk weer denken aan de jassen en laarzen in de gang en natuurlijk aan de drie meisjes op het prachtige schilderij.

'Waar zouden die meisjes zijn?' vroeg Wilg zich hardop af. 'En die vrouw die zo huilde, waar zou die zitten?'

Het was de eerste verstandige vraag die Wilg in dagen had gesteld.

Eik en Berk hadden er geen antwoord op.

Ze zetten urenlang schoenen netjes op een rij en keken welke bij elkaar hoorden. Ze bedachten dat het hoog tijd was om ervandoor te gaan. Maar hoe? De grote deuren van het pakhuis waren dicht, potdicht.

'Misschien komen er vandaag weer sjouwers en kunnen we wegglippen,' zei Berk. 'We moeten hier wegwezen, dat is zeker. We gaan vluchten.'

Eik begon over de oorlog, over het leger van de hertog van Gelre, dat eraan kwam. Als het oorlog werd, zouden ze de stad niet uit kunnen.

Wilg zei: 'Misschien is er ergens een weeshuis waar je niet zo hard hoeft te werken.'

De sjouwers kwamen inderdaad, maar wegglippen lukte niet.

'Zo, gauwdieven!' zei de ene sjouwer. 'Wees maar blij dat jullie hier veilig zitten.'

'Is het al oorlog?' vroeg Berk nieuwsgierig. 'Zijn de

soldaten van Gelre al bij de stadsmuren?'

'En het weeshuis?' vroeg Eik. 'Dat is zeker allang afgebroken, hè?'

De sjouwers keken elkaar aan en lachten spottend. 'Jullie luisteren teveel naar wat de mensen kletsen,' zei de ene. 'Nee, er is helemaal geen oorlog en het weeshuis staat er nog gewoon.' Toen betrok zijn gezicht, terwijl hij fluisterde: 'Het is veel erger! Veel erger!'

'Wat?' vroeg Wilg.

'Er zit een monster onder de Domkerk,' vertelde de ene sjouwer.

De andere knikte somber. 'Het is een basilisk!'

De drie weesjongens keken elkaar geschrokken aan.

'Een basilisk!' schreeuwde Eik in Wilgs oor.

Wilg had nog nooit van een basilisk gehoord.

'Wat?' schreeuwde hij terug.

De sjouwers keken angstvallig naar de deur of Bosman er niet aankwam.

'Het is een vreselijk ondier!' zei de ene sjouwer.

'Het staat in dienst van de duivel,' vulde de andere aan. 'Eerlijk waar!'

'Eerst zat-ie in Dokkum,' vertelde de ene sjouwer. 'Dat ligt in Friesland. Daar heeft-ie achttien mensen gedood, enkel en alleen met vuur uit zijn ogen.'

'En daarna in Oldeboorn,' ging de andere sjouwer verder. 'Daar waren óók achttien slachtoffers. Het ondier zat in een diepe put. Dat kan best kloppen, want zulke monsters zoeken altijd het donker op. Nu zit hij onder de Utrechtse Dom, in een diepe krocht onder de kerk. 's Nachts kruipt hij door alle ondergrondse gewelven om kindertjes te stelen.'

Berk moest erom lachen. Een beetje zenuwachtig, maar tóch. 'Monsters en draken stelen helemaal geen kindertjes,' zei hij. 'Die bewaken de hele tijd hun goudschat. Als je ze verslaat, ben je steenrijk. Dat weet iedereen!'

'Vraag het maar aan koopman Bosman,' zeiden de sjouwers somber. 'Waarom denken jullie dat mevrouw Bosman de hele dag ligt te huilen? Het monster heeft haar dochters gevangengenomen. Wees maar blij dat jullie hier veilig zitten, want in de hele stad mogen kinderen niet meer buiten komen. Iedereen is bang dat er nog meer gevangen worden genomen.'

De sjouwers vertrokken. De drie weesjongens bleven bij de berg schoenen zitten.

'Oei,' zei Berk. 'Gevangen zitten in het hol van een monster is nog erger dan appeltjes tellen.'

Ze dachten aan de schattige, mooie dochters van Bosman.

Een monster verslaan

N a een tijdje opperde Berk: 'We vragen het gewoon.'

'Wat?' vroeg Wilg. 'Zeg, als we het nou gewoon eens aan koopman Bosman vragen?'

'Dat is een prima idee,' vond Eik. 'Misschien gaat hij ons wel aardig vinden omdat we zo meeleven.'

Koopman Bosman kwam middageten brengen: weer oud brood. Hij keek alsof hij zelf zijn eigen schoenen als middageten had gehad.

'Wat zielig voor u,' begon Berk. 'Van uw dochtertjes.'

'Wat!' blafte Bosman. 'Waar bemoei jij je mee, druiloor! Rotmeiden zijn het, ongehoorzame weglopers! Nooit luisteren, altijd doen wat ze zelf willen! In de kelder vluchten. Eigen schuld dat ze gevangen zijn genomen!'

'Door een monster!' zei Berk, die zijn oren niet geloofde.

'Haha!' zei Bosman. 'Wacht maar tot ik ze weer in mijn vingers heb. Ik zal ze leren … Weglopen en ondergronds verstoppertje spelen!'

Hij liep naar de schoenen en bekeek ze.

'Lanterfanters,' riep hij. 'Jullie schieten helemaal niet op! Op deze manier moeten jullie nog máánden werken totdat alle appels zijn terugbetaald. Blijf met die schoenen uit de buurt van de spiegels in de hoek. Want als jullie díé breken ...'

Zeven jaar ongeluk, dacht Berk. Hij zei niks. Ze hadden al veel meer dan zeven jaar ongeluk in het weeshuis achter de rug.

Toen Bosman weg was, keken Berk, Eik en Wilg elkaar aan. Wie was nou eigenlijk het grootste monster: de steenrijke koopman of die basilisk onder de Dom?

'Nou begrijp ik waarom die vrouw zo ontzettend moest huilen,' zei Eik. 'Ze huilt vast de hele dag omdat ze met zo'n nare man getrouwd is en haar dochters kwijt is.'

'Zo'n norse bruut ga ik niet helpen,' zei Berk.

'Zijn vrouw kunnen we helpen,' zei Wilg. 'En zijn schattige, lieve dochters.' Hij had alles kunnen verstaan omdat Bosman zo bulderde.

Ze gingen weer verder met schoenen sorteren. Alle drie probeerden ze een manier te verzinnen om de dochtertjes te redden. En die mevrouw natuurlijk. Redden was werk voor helden en ze wilden immers graag helden worden. Dat was stukken beter dan appels tellen en schoenen sorteren. Maar moest je niet al een held zijn om een held te kunnen worden? Het was een ingewikkelde gedachte, waar ze de hele middag mee bezig waren. En met die schoenen natuurlijk ...

De volgende ochtend, vlak nadat ze opnieuw oud brood hadden gekregen, kwamen de sjouwers weer. Ze hadden balen wol bij zich, die ze in een hoek opstapelden.

'Pas op voor de spiegels,' zei Berk behulpzaam.

De sjouwers grijnsden en schudden hun hoofd. 'Jullie zijn lekker bezig, jongens! En nog lang niet klaar, zo te zien.'

'Oeps,' zei de ene sjouwer, terwijl hij een baal wol uit zijn handen liet glijden. Vlak voor de spiegels bleef de wol stilliggen. 'Oeps, bijna een spiegel kapot,' grijnsde de sjouwer vals. 'Als koopman Bosman hoort dat jullie met balen wol hebben gerold ...' Hij keek heel dreigend, maar zei niets meer. De andere sjouwer kreeg medelijden. 'Niet zo pesten,' zei hij. 'Laat die jongens.'

Eik greep zijn kans. 'Hoe is het met de basilisk?' vroeg hij. 'Zijn er al helden in de stad om hem te verslaan?'

De aardige sjouwer ging op zijn baal wol zitten. 'Jongens,' zei hij, 'het is een vreselijk beest. Basilisken komen uit een hanenei dat wordt uitgebroed door een schildpad. Moet je je eens indenken wat voor akelig beest je daarvan krijgt. Het is een soort hagedis met een hanenkam van scherpe stekels, helemaal van zijn kop tot zijn staart. Op die staart zitten ook nog eens akelige schubben die ratelen als de basilisk beweegt. Maar zijn kop, jongens, zijn kop is het allerergste. Een muil met akelige tanden die naar buiten steken en neusgaten waar wolken stinkende rook uit komen. En boven die neusgaten zitten vuurspuwende ogen. De vlammen slaan eruit. Als je in die ogen kijkt, slaan de vlammen je lijf in en word je van binnenuit verteerd tot je een hoopje as bent geworden.' De sjouwer rilde. 'Gelukkig heeft nog nooit iemand een basilisk gezien, want dat dier verstopt zich op een plek zo donker als maar kan. Geen held durft het aan om zo'n vreselijk beest te verslaan. De basilisk van Utrecht zit in zijn hol in het donker op zijn schatten die hij uit de kerk heeft gestolen. En hij bewaakt de drie dochters van Bosman, natuurlijk.'

De sjouwers vertrokken en de drie broers zaten nog lange tijd diep na te denken.

'Als de meisjes zijn ogen hebben gezien zijn ze misschien al hoopjes as geworden,' zei Eik. 'Dan kunnen ze nooit meer terug.'

Zijn broers riepen luid dat dat niet gebeurd mócht zijn met zulke lieve, mooie meisjes.

'Maar zijn we nog wel op tijd?' vroeg Berk zich af.

'Wat?' vroeg Wilg.

'Als we snel zijn, zijn we op tijd,' zei hij nadat Berk flink in zijn oren had getetterd. 'Niet als we hier schoenen blijven uitzoeken.'

Alweer zo'n verstandige opmerking van Wilg. Eik en Berk keken elkaar aan. 'Wilg heeft helemaal gelijk.'

Maar hoe versla je een monster? De broers kenden natuurlijk heldenverhalen over ridders met een prachtig paard, een harnas, een schild en een zwaard. Liefst een betoverd zwaard. Dat vocht altijd het gemakkelijkst. De held stormde op het monster af of omsingelde een roversbende. Daarna hakte hij erop los en won.

Zo simpel was het ongeveer in verhalen. En zo moeilijk leek het de broers in het echt. Ze hadden helemaal niets om het vreselijke monster mee te verslaan.

'Maar, eh,' zei Berk slim. 'Als zo'n basilisk altijd in het donker zit ... Als niemand hem ooit gezien heeft ... hoe weten mensen dan hoe hij eruitziet?'

Dat was nog eens een slimme gedachte. Ze werden er ontzettend dapper van. Misschien was een basilisk gewoon een soort kip. Hij kwam tenslotte uit een hanenei. Tegen een kip durfden ze wel ...

Ondergronds

'We hebben een harnas, een zwaard en een schild nodig,' zei Eik. 'Aan een paard hebben we ondergronds toch niets.'

Ze stonden midden in het pakhuis. Het stond zo ontzettend vol met allerlei spullen dat je zelfs niet vond wat je nodig had als je er met je neus bovenop stond.

Schoenen hadden ze al voor zichzelf gevonden. Min of meer bij elkaar passend en ongeveer dezelfde maat.

'Daar!' wees Berk. Hij liep naar een muur en kwam met twee grote houten borden terug. 'Deze kunnen prima als schilden dienen.'

'Maar dat zijn de achterkanten van spiegels!' zei Wilg.

'Beter dan niets,' vond Eik, maar Wilg wilde geen spiegel als schild. Dat vond hij stom staan, al zag je daar in het donker ondergronds natuurlijk niets van.

Zwaarden waren er niet in het pakhuis, wel grote ijzeren staven die als tralies voor ramen bedoeld waren. Dat moesten dan maar hun speren worden, besloten ze.

Uit een stapel pannen kozen ze er drie die goed op hun hoofd pasten.

Toen waren ze er klaar voor. Rammelend als wandelende skeletten gingen ze het pakhuis door tot aan de kelderdeur. Ze openden hem en keken in het donkerste donker.

Wilg ging terug om een lantaarn te halen. Hij vond er eentje die het deed. Er zat niet veel olie in de lamp en het vlammetje was klein, maar het was beter dan niets.

Helemaal aan het eind van de donkere kelder was een gat naar de ondergrondse gangen van de stad. Vlucht-gangen waren het, of gangen om gestolen spullen in te verbergen. Gangen om je te verstoppen als de vijand kwam. Ze liepen onder de hele stad door. Zo was de basilisk onder de Dom terechtgekomen. Ergens was hij een diepe put in gedoken en uiteindelijk onder de kerk terechtgekomen.

De drie weesjongens waren door het gat gekropen. Ze stonden nu in een tunnel van gemetselde stenen. Het lichtje in de lantaarn was piepklein. Ze konden geen twee stappen voor zich uit zien. Links, rechts en boven stenen, onder stenen en modder en vóór hen donker. Achter hen was trouwens ook alles pikkedonker. Waar moesten ze heen? Vooruit, achteruit? Toen ze een paar keer een rondje gedraaid hadden, wisten ze niet eens meer wat vooruit of achteruit wás.

'Nou, ik zie helemaal niks,' zei Eik.

'Ik hoor helemaal niks,' zei Wilg.

En Berk zei: 'Stil nou, anders hoort het monster ons.'

Ze spitsten hun oren, ook Wilg.

Wat hadden de sjouwers ook alweer verteld? Als de basilisk bewoog, hoorde je zijn schubben ratelen. En er kwam rook uit zijn neusgaten. Roken ze rook, zagen ze vlammen, klonk er geratel? Nee, het was akelig stil in de onderaardse gangen.

Ze begonnen maar gewoon te lopen. Op z'n aller-heldhaftigst, met hun speren ver voor zich uitgestoken en Berk en Eik met hun houten schild voor hun borst. Wilg hield de lantaarn omhoog. Voort ging het, voort. Of ging het misschien ook terug, terug? De gangen maakten bochten en slingers, er waren hoekjes en gaten. Heel wat kelders in de grote stad Utrecht kwamen uit op deze ondergrondse gangen. De drie weesjongens kregen steeds meer het gevoel dat ze rondjes liepen en dat ze de kelder van het pakhuis nooit, nooit meer zouden terugvinden.

'Ik hoor geratel!' riep Eik opeens geschrokken uit. Hij bleef stilstaan. 'Horen jullie het ook?'

Berk hoorde het ook, Wilg waarschijnlijk niet, want die gaf geen antwoord.

'De basilisk!' schreeuwde Berk. 'Hij ratelt in de verte, boven op zijn goudschat.'

Maar het was de basilisk helemaal niet, het waren Wilgs klapperende tanden. Wilg was intussen helemaal vergeten dat hij een held was. Hij was bang voor het donker.

Berk vond het donker ook niet prettig. Alleen Eik leek zich op zijn gemak te voelen; die wist natuurlijk ook niet beter.

'Zeg,' begon Eik, toen ze weer een tijdje gelopen hadden, 'die sjouwers hebben niets gezegd over giechelen, toch?'

'Nee,' antwoordde Berk, 'wel over ratelen maar niets over giechelen.'

'Hmmm ...' zei Eik en hij liep verder. Na een paar passen vroeg hij: 'En rotvent? Hebben die sjouwers gezegd dat de basilisk een geluid maakt dat klinkt als "rotvent"?'

'Nee,' antwoordde Berk weer, 'alleen over ratelen, rook en vuurspuwende ogen.'

'Misschien hebben we de meisjes dan gevonden,' zei Eik, 'want ergens verderop giechelde iemand en zei iemand anders "rotvent".'

'Dan hebben we de basilisk ook gevonden ...' zei Berk bibberig. 'Die bewaakt de meisjes natuurlijk.'

'Wat?' vroeg Wilg.

Berk sloeg meteen een hand voor Wilgs mond, want die praatte, zoals altijd, weer keihard.

Op hun tenen gingen ze verder. Het enige dat af en toe geluid maakte, waren de pannen op hun hoofd als ze daarmee tegen elkaar stootten.

Nog meer bochten maakte de gang, nog meer hoekjes en slingers. Maar toen ... bleven ze met een schok stilstaan. Ze geloofden hun ogen niet. Voor hen ... Hun monden zakten open van verbazing.

Er zat een opening in de muur, groot genoeg om doorheen te kruipen. Daarachter bevond zich een rond kamertje. Daar zaten drie meisjes. Hoog boven hen kon je daglicht zien. Het scheen als een blauw zonnetje het zwart in. Er was net genoeg licht om de drie meisjes te kunnen onderscheiden.

De drie weesjongens voelden hun hart bonken, want dit waren de drie verdwenen dochters! Wat zagen ze er lief en mooi uit! Ze hadden alle drie prachtig haar. Eentje rood, de ander goudblond en de derde bruin. Ook hun ogen waren geweldig: smaragdgroen, koningsblauw en donkerbruin. Als dit geen prinsessen waren, dan wisten ze het niet meer. Dit waren de dochters van Bosman, die de basilisk geroofd had en gevangen hield.

De eerste helft van hun heldendaad zat erop: ze hadden de drie zussen gevonden. Nu hoefden ze nog maar twee helften: de basilisk verslaan en veilig thuiskomen.

'Daar zijn jullie,' brulde Wilg. 'Wij zijn Berk, Wilg en Eik en we komen jullie redden!'

'Wat een malle namen,' giechelden de meisjes. 'Wij hebben tenminste gewone meisjesnamen. Wij heten Els, Linde en Denise. Maar haar noemen we Den omdat dat korter is.'

'Wíj komen jullie redden van de basilisk,' zei Eik. 'Wij zijn als helden de onderaardse gangen in gekropen.'

'Helden? Jullie lijken wel verkleed voor carnaval,' zei het zusje dat Els heette. Het was niet aardig, maar ze zei het zó lief dat Berk meteen smolt.

Hij zei: 'Zullen we misschien wat zachter praten? Het is hier levensgevaarlijk.'

'O ja?' vroeg Linde die blond haar had.

'De basilisk die jullie gevangen houdt …' fluisterde Eik. 'Is hij erg eng? Ziet hij er vreselijk vervaarlijk uit en heeft hij al geprobeerd jullie te verslinden?'

Els, Linde en Den keken elkaar verbaasd aan.

'Wij weten van niks. We zitten hier alleen omdat we straf hebben gekregen van onze stiefvader, die rotvent.'

Wie is het monster?

Held zijn was een stuk gemakkelijker geweest dan de drie weesjongens ooit hadden gedacht; ze hadden er bijna niets voor gedaan. Of gold hun heldendaad niet, omdat de schone jonkvrouwen eigenlijk helemaal niet gevangen waren genomen door de basilisk?

Eik, Berk en Wilg hadden hun pannen afgezet, hun traliespijlen op de grond gelegd en de houten schilden tegen de muur gezet.

Berk keek omhoog, naar het licht. Een put, dacht hij. Daar hoog boven ons is een put. Zou de basilisk door die put omlaag gegleden zijn de ondergrondse gang in? Stel je voor dat de basilisk dadelijk een stukje door de gangen kwam ratelen.

Haastig klom hij door het gat het kamertje van de meisjes in. Zijn broers kwamen achter hem aan. Opeens was het nu erg vol in het kamertje. Wilg trapte met zijn voet tegen het lantaarntje. Glas rinkelde en het kleine lichtje doofde.

Oei, dacht Berk, dat is een tegenvaller. Nou moeten we straks in het aardedonker terug ...

'Wij dachten dat Hendrik Bosman jullie vader was,' zei Eik, die niet had gemerkt dat het lantaarntje was gedoofd. Wilg had niet gehoord wat hij deed.

De meisjes trokken een vies gezicht. 'Die engerd onze

vader? Lijken wij soms op hem?'

Nee, dat klopte. Ze leken in de verste verte niet op chagrijnige rode appeltjes met rotte plekken.

'We hebben jullie moeder horen huilen,' vertelde Berk. 'Zielig, hoor.'

De meisjes keken meteen ontzettend verdrietig.

'Alweer?' vroeg Den.

'Nog steeds, natuurlijk,' antwoordde Els. 'Ze had nooit met die nare kerel moeten trouwen!'

'In het begin deed hij altijd ontzettend aardig,' vertelde Linde. 'We kregen warme jassen en prachtige laarzen van het zachtste leer. Moeder dacht dat hij een goede vader zou zijn. En dat we het voortaan fijner zouden hebben, want we waren hartstikke arm. Hij liet zelfs een schilderij van ons maken voor hun bruiloft.'

De drie weesjongens knikten, dat wisten ze maar al te goed.

Berk was stomverbaasd. Hij had altijd gedacht dat mooie mensen rijk waren. Hoewel, dat klopte natuurlijk ook niet helemaal. Bosman was hartstikke lelijk, dus die zou eigenlijk arm moeten zijn.

'Hij wilde graag met onze moeder trouwen omdat hij haar zo beeldschoon vond,' zuchtte Linde. 'Het leek ons een goed plannetje. Maar ja ... Meteen de eerste dag na de bruiloft begon het al. We mochten helemaal niets meer, behalve op de bank zitten en netjes "goed, meneer onze vader" zeggen en "ja, meneer onze vader". Onze moeder mocht niet eens meer naar buiten. Die moest op haar kamer blijven en ze mocht alleen naar beneden als visite kwam kijken hoe mooi ze eruitzag.'

De zussen zuchtten, en Berk dacht: die Hendrik Bosman is net zo erg als de basilisk. Hij houdt óók mensen gevangen, die hebberd. We moeten dus eigenlijk twéé monsters verslaan.

'En toen?' vroeg Eik, die helemaal voor zich zag hoe ongelukkig de meisjes waren.

'Vorige week kregen we straf,' zei Linde.

'Den ziet geen steek, dus die was over onze laarzen in de gang gestruikeld. Daarbij brak ze een vaas. En Els hoort eigenlijk bijna niks, maar die voelde wel de scherven rondvliegen, dus die slaakte een kreet. Nou, toen kwam ik aanrennen ...'

Berk had het idee dat ze in de maling werden genomen. 'Maar jouw ene been is zeker te kort?' vroeg hij.

'Nee, te lang,' antwoordde Linde. Dat is heus niet om te lachen, hoor.'

Berk lachte niet. Hoe krijgen we het voor elkaar, dacht hij, hoe krijgen we het voor elkaar ...

'Ik struikelde weer over Den,' vertelde Linde verder. 'Toen schopte ik per ongeluk het tafeltje om waar de vaas op had gestaan. Onze stiefvader kwam op de herrie af en hij werd kwáád, ontzettend kwáád ... Toen heeft hij ons voor straf in de allerdiepste kelder weggestopt. Hier dus. Elke nacht komt hij kijken of we niet zijn weggelopen. Hij denkt dat we dan slapen, maar wij blijven wakker, lekker puh.'

Ergens in de verte klonk een geluid. Eik en Den spitsten hun oren.

Den zei: 'Daar ratelt iets!'

Eik zei: 'Ergens achter ons loopt wat. Ik hoor voetstappen.'

'De basilisk komt eraan!' zei Berk geschrokken.

'Onze stiefvader komt eraan,' zei Den geschrokken. 'Ik herken zijn voetstappen!'

Het ratelen kwam dichterbij. De voetstappen kwamen ook dichterbij. De basilisk en de stiefvader liepen op elkaar af.

Het zou niet lang duren of ze werden gevonden, door de basilisk of door de norse Hendrik Bosman.

'Wat?' riep Wilg, maar Berk snoerde hem de mond. Ze moesten doodstil zijn. Er kwam tenslotte licht door het ronde gat hoog boven hen. Veel licht was het niet, maar genoeg om te zien dat er zes kinderen op de bodem van de put zaten.

Wilg rukte zich los. Hij graaide naar een van de houten schilden en hield dat voor het gat waardoor ze binnen waren gekomen. De ene kant van het schild was van hout, maar de andere kant was een spiegel. Het licht van boven weerkaatste even in de gang. Niet genoeg om iets te kunnen zien, maar dat was Wilgs bedoeling blijkbaar ook helemaal niet.

'Ik weerspiegel de overkant van de gang!' riep hij zo hard dat je het boven de grond bijna had kunnen horen. 'Dan zien de basilisk en de stiefvader het gat niet!'

Berk sloeg natuurlijk weer een hand voor Wilgs mond, maar hij deed het zachtjes en vol bewondering. Wat een geweldig idee van Wilg!

Maar stil zijn was óók een goed idee, want het ratelen en de voetstappen kwamen steeds dichterbij.

De voetstappen stopten ongeveer bij de plek waar Wilg het gat met de spiegel afdekte. Zien konden ze niets, maar horen ging prima, op Wilg en Els na, natuurlijk.

'Ik heb mijn ogen dicht!' schreeuwde een stem, die ze allemaal herkenden omdat hij van Hendrik Bosman was. 'Dus je kunt je gewoon laten zien, monster! Heb je die meiden nou al meegenomen naar je hol? Krijg ik eindelijk mijn goud in ruil voor de meisjes?'

Er klonk een soort briesen dat 'ja' kon betekenen, maar ook 'nee', of misschien nog iets heel anders. Het stonk opeens vreselijk naar monster en rotte eieren. De basilisk moest wel heel dichtbij zijn dat ze de adem uit zijn neusgaten konden ruiken.

Hendrik Bosman begreep het briesen kennelijk ook niet goed.

'Laat me die goudschat zien!' commandeerde hij. 'Dat hadden we afgesproken toen ik je uit Oldeboorn hierheen haalde. Jij zou schatzoeken in ruil voor drie jonkvrouwen.'

Er ratelde wat, er brieste wat en het begon nog erger te stinken.

'Die jonkvrouwen heb je zó gevonden!' riep Bosman. 'Die gansjes kunnen toch zeker niet aan zo'n woest monster ontsnappen? Gewoon even goed zoeken in de gangen. Ik heb hen zelf naar beneden gestuurd, dus ze móéten hier ergens zijn. Morgen kom ik weer kijken of je ze gevonden hebt. O ja, ik denk dat er ook nog drie jongetjes door de gangen dwalen. Die moet je gewoon maar even verbranden met je vuurogen.'

Het monster antwoordde niet. Zijn staart begon te ratelen. Het geratel werd zachter. Dat betekende dat het ondier verdween.

Hendrik Bosman verdween óók. Dat hoorden ze aan zijn gemopper, dat gelukkig van steeds verder weg kwam.

Berk en Linde hadden met open mond zitten luisteren. Ze geloofden hun oren niet.

'Wat een monster ...' zuchtte Berk, toen het alweer een tijdje stil was.

'Wat?' vroegen Wilg en Els tegelijk.

'Nou,' zei Berk, 'dat is lekker ...'

De zes kinderen zaten stilletjes op de bodem van de put. Het begon buiten, bovengronds, donker te worden. Dat zagen ze aan het rondje boven hun hoofden, dat steeds minder blauw werd.

'Hoe moeten we nou een beloning krijgen, als jullie stiefvader helemaal niet wíl dat jullie gered worden?'

'Hij wil van ons af ...' zei Els. 'Hij heeft liever goud dan dochters.'

'Nu moeten we tegen twéé monsters vechten ...' zei

Berk. 'Sjonge, hoe krijgen we dat voor elkaar? Ik weet dat je twee vliegen in één klap kunt verslaan, maar kun je ook twee monsters in één klap verslaan?'

Het bleef een tijdje doodstil in de put.

Toen zei Wilg opeens: 'Ik weet iets.'

'Wat?' riepen de anderen nieuwsgierig.

Wilgs plan

Het was doodstil in de ondergrondse gangen. Je hoorde helemaal niets, alleen af en toe een beetje geratel als de basilisk niet lekker lag op zijn gouden spullen die natuurlijk scherpe randjes hadden.

Heel soms hoorde je ook gerommel en dan klonk er 'Sssst!'

'Kon ik niks aan doen, dat was mijn maag!'

Soms hoorde je ook: 'Au!' en ook dan klonk meteen weer 'Ssst!'

'Ik schuurde tegen de stenen!'

Eén keer hoorde je: 'Er kauwt iemand op mijn vlechten!'

'Maar ik heb zo'n ontzettende honger!'

Wachten duurt meestal lang, maar ditmaal duurde het nog véél langer.

Ze waren de put uit gekropen en stonden nu in de ondergrondse gang, in twee groepjes. Den, Eik en Berk in één groepje; Els, Linde en Wilg in het andere. De groepjes stonden een stukje uit elkaar. Het gat in de put zat zo'n beetje in het midden. Er viel een heel pietepeuterig beetje licht doorheen. Daaraan konden ze zien dat het nog dag was. Daardoor wisten ze dat Hendrik Bosman nog niet kwam. Tenminste, dat hoopten ze maar. Alle andere keren was de boze stiefvader 's nachts gekomen, maar je wist nooit of hij opeens van gewoonte zou veranderen. Daarom wachtten ze stilletjes totdat het zover was. Tenminste, zo stilletjes als ze konden. Maar soms konden ze dat dus niet.

Eik had een houten schild, Den ook. Eik en Den gingen namelijk iets bijzonder gevaarlijks doen, waarbij ze die schilden nodig hadden. Ze deden het niet omdat ze de heldhaftigsten van de zes waren, maar omdat zij het minste gevaar liepen. Ze hadden voor de zekerheid wel een pan op hun hoofd gezet. De ene pan die nog over was, mocht Wilg hebben, omdat hij het plan bedacht had. Een bijzonder slim plan dat ze allemaal zelf verzonnen hadden willen hebben.

Maar wat duurde het lang ... Wat werden ze bang toen het eindelijk steeds donkerder werd. De avond viel, straks zou Bosman komen en de basilisk dus ook! Straks zouden ze weten of het plannetje echt zo briljant was. Ze begonnen allemaal steeds een beetje meer te twijfelen.

Je hoorde voeten schuifelen over de grond, zenuwachtig gekuch en nerveus ge-ssst! En een geratel dat niet van de basilisk afkomstig was, maar van iemands klapperende kaken.

Eindelijk, toen ze dachten dat er niets meer zou gebeuren, klonken vanuit de verte voetstappen. De zware voetstappen van de stiefvader.

'Ben je daar, monster?' klonk de norse stem van Hendrik Bosman.

Zijn vraag galmde door de gangen en echode als: 'Onster? Onster?'

Meteen kwam er geratel vanuit de verte. Het was aardedonker en dat was maar goed ook. Als Hendrik Bosman zijn ogen niet stijf dicht had geknepen om het monster niet per ongeluk in de ogen te kunnen kijken, zou hij de kinderen meteen gezien hebben.

Het begon te stinken in de gang alsof iemand, die een enorme pan bruinebonensoep had leeggegeten, winden latend kwam aanlopen.

De kinderen hielden hun adem in omdat ze bang waren dat ze zouden stikken van die vieze stank.

'Nou?' vroeg Hendrik Bosman ongeduldig, 'heb je ze eindelijk gevonden? Zitten de drie jonkvrouwen al stevig gevangen bij je goudschat? Heb je die drie rotjongens opgevreten als lekker hapje tussendoor?'

De basilisk snoof en het klonk zó gevaarlijk dat Linde en Wilg bijna hun speren uit hun vingers lieten vallen. Koopman Bosman was hen voorbij gelopen zonder dat hij hen gezien had en dat was precies de bedoeling. Hij stond nu ergens vóór hen.

Eik, Den en Berk stonden het dichtst bij het ondier. Ze konden zijn staart bijna tegen hun benen voelen als de basilisk er zachtjes mee zwiepte. Wat waren ze opgelucht dat ze het ondier alleen maar hoorden en roken en hem niet zagen.

'Nou heb je ze gevonden?' drong Bosman nog eens aan.

Het is de hoogste tijd, dacht Berk. Nu moet het echt gaan gebeuren. We staan klaar. Wij aan de ene kant van het monster en de rest aan de andere kant. We hebben de basilisk omsingeld ... Hij verzamelde al zijn moed. 'Nee!' riep hij keihard door de gangen. 'Hij heeft ons niet!'

Samen met Den en Eik ging hij midden in de gang staan. Den en Eik tilden hun spiegelschilden op.

Het monster snoof en keerde zijn enorme kop om, want hij wilde zien wie er zo schreeuwde in zijn onderaardse gang.

Berk dook net op tijd weg. Hij viel plat op zijn buik en verborg zijn gezicht in zijn handen.

Eik en Den, die toch geen steek zagen, bleven staan en hielden hun schilden dapper omhoog. De schilden die aan de ene kant van hout waren en aan de andere kant een spiegel. Want het waren natuurlijk nog steeds geen echte schilden, maar spiegels uit het pakhuis van Hendrik Bosman.

Een hels vuur brandde in de ogen van het monster. Het vuur schoot in een steekvlam naar voren en ... weerkaatste in het glas van de spiegels. En wat Wilg had gehoopt, gebeurde: het vuur kaatste in de spiegels terug naar de basilisk. De dodelijke vlam sloeg door zijn ogen naar binnen, om zijn eigen hart heen. Woest brullend deed de basilisk nog een wanhopige sprong. Hij wierp een laatste vlammende blik die opnieuw in de spiegel weerkaatst werd en recht op Hendrik Bosman af

schoot.

Hendrik Bosman die van al die herrie nieuwsgierig zijn ogen in een spleetje had geopend ...

Tegelijk met de basilisk schoot hij in brand. De kinderen zagen het vuur door hun oogleden heen en openden hun ogen.

De basilisk en de koopman brandden als kerstbomen op Nieuwjaarsochtend.

De basilisk was precies zo'n vreselijk monster als de sjouwers hadden verteld. Absoluut geen kip, meer een enorme schildpad zonder schild, met een puntige staart en op zijn rug enorme schubben die ratelden terwijl ze brandden. Zijn brandende kop had een soort puntige snavel. Daar kon je aan zien dat de basilisk uit een hanenei was gekropen. Zijn ogen waren gelukkig als eerste in brand geschoten, dus ze hoefden niet meer bang te zijn.

Van Bosman was intussen niet veel meer over dan een berg smeulende as en het duurde niet lang voor er alleen nog twee hoopjes in de gang lagen. Maar toen was het alweer te donker om nog iets te kunnen zien.

Hemel op aarde

Midden in de nacht kropen zes kinderen door de kelder vol kriebelbeestjes naar het pakhuis van Hendrik Bosman. Ze hadden een touw gevonden, dat Bosman kennelijk gebruikte om de weg terug te vinden.

Ze waren voetje voor voetje achter elkaar aan gesjouwd, het touw volgend. Alle zes waren ze erg stilletjes en behoorlijk onder de indruk van wat er allemaal gebeurd was.

De drie broers voelden zich wel helden, maar vreemd genoeg voelde dat heel anders dan ze zich altijd hadden voorgesteld. Hun harten klopten niet vuriger in hun borst, hun spieren waren niet sterker geworden en of ze nou opeens dapperder waren geworden?

Eik wilde het liefst van alle drie held zijn. Hij had ook iets heldhaftigs gedaan, samen met Den had hij de spiegels omhoog gehouden. Maar de anderen waren net zo heldhaftig geweest, dus eigenlijk gold dat niet.

In het pakhuis brandde een lantaarntje. Ze gingen er eventjes omheen zitten om uit te puffen, want daar hadden ze nog helemaal geen tijd voor gehad.

Eik merkte nu pas dat hij beefde als een rietje. Van de angst natuurlijk, en van de schrik en de heldhaftigheid.

Berk voelde zich ook niet helemaal in orde. Hij was

natuurlijk wel dapper geweest, maar als schatgraver had hij het slecht gedaan! Ze waren in de buurt van een geweldige goudschat geweest: de schat van de basilisk. En wat had hij gedaan? Niets eigenlijk. Hij was niet eens een klein beetje op zoek gegaan naar het goud.

En Wilg? Wilg bedacht dat hij liever geen ontdekkingsreiziger wilde worden. Dan zag je wel verre landen, maar misschien ook ontzettend enge monsters. Wilg had een beetje genoeg van monsters.

De drie zussen waren een stuk opgewekter. Zij konden niet wachten om het huis binnen te gaan en hun moeder te vertellen dat ze veilig waren en niet opgegeten door de basilisk.

'Doe die malle helmen maar af,' zei Linde. 'Jullie staan voor gek met die pannen op je hoofd. Onze moeder schrikt zich een eh... helmpje.'

Haar twee zussen kwamen overeind. Ze wilden nu heel graag hun moeder wakker maken en vertellen dat ze voortaan veilig waren.

Natuurlijk waren de pakhuisdeuren stevig afgesloten en natuurlijk zaten er nog steeds tralies voor de vensters. Maar gelukkig was daar het kleine deurtje, waar Hendrik Bosman 's nachts doorheen ging om in het pakhuis te komen en om met de basilisk te gaan smoezen in de onderaardse gangen.

Het deurtje was gelukkig niet op slot; Bosman had niet gedacht dat hij als hoopje as in de onderaardse

gangen zou achterblijven. Hij had het deurtje openge-
houden om snel weer terug te komen in zijn huis. Nu
konden de drie zussen en de drie weesjongens door het
deurtje de gang in kruipen.

Het was donker in huis. Ergens boven klonk gesnik.
Dat kon niemand anders zijn dan Johanneke, de moeder van Den, Els en Linde. Ze huilde alsof ze nooit meer
zou ophouden.
'Mama!'
'Wat?' vroeg Els.
Ze kreeg geen antwoord. Haar twee zussen denderden
de trap op en de drie weesjongens gingen erachteraan. In
het donker holden ze over de overloop, en Den, die in
het donker natuurlijk juist beter zag dan haar zussen,
was er als eerste. Ze gooide de deur open.
'Mama, daar zijn we weer!'

Wat een weerzien, wat een feest en wat een tranen van
verrassing en geluk. Johanneke kon niet stoppen met het
knuffelen van haar verloren dochters. En omdat ze toch
bezig was, knuffelde ze Berk, Eik en Wilg ook. Die waren dat helemaal niet gewend. Die waren gewend aan
slaag krijgen van hun baas en van de weeshuispriesters.
Ze moesten het hele verhaal vertellen en daarna nog
eens en toen achterstevoren voor de duidelijkheid. De
moeder van de drie zusjes geloofde alle drie de keren
haar oren niet. Maar toen de kinderen nogmaals vertel-

den dat hun stiefvader écht, ja écht, zijn stiefkinderen had willen ruilen voor een goudschat, werd ze ontzettend boos. Boos op Hendrik Bosman en ook op zichzelf.

'Ik had nooit met hem moeten trouwen,' brieste ze, terwijl haar wangen vuurrood werden. 'Ik deed het voor jullie, maar liever arm en gelukkig, dan rijk en met een monster getrouwd!'

Berk vond de moeder van de drie zussen erg mooi als ze boos was. Je kunt wel zien dat Den, Linde en Els veel op haar lijken, dacht hij.

'Nu bent u weduwe,' zei Wilg keihard. 'U erft natuurlijk alles. Het huis, het pakhuis met alle spullen en het geld, het eten ...'

Zo had nog niemand erover nagedacht. Meteen waren de boosheid en de tranen vergeten. In optocht gingen ze naar de keuken, want de kinderen hadden al een hele tijd niet meer fatsoenlijk gegeten.

Ze kregen geroosterde kippenbout, pannenkoeken, gebraden worstjes, versgebakken broodjes met zachte roomboter en stukken kaas en zoete vruchten. Het werd een middernachtelijk feest zoals er in het prachtige huis nog nooit eentje was gevierd. Met licht bier voor de kinderen en een stevig glas wijn voor moeder Johanneke.

Ze aten en dronken tot ze geen pap meer konden zeggen en dat waren de jongens zéker niet van plan, want stel je voor dat Johanneke hen hun zin gaf en lijmpap voor hen kookte.

Toen de zon allang op was, gingen de kinderen naar bed. Ze lagen gezellig met z'n allen in een heel groot, zacht hemelbed. Dat werd een slaapfeest van jewelste.

De jongens droomden dat ze de hemel op aarde gevonden hadden en de meisjes droomden dat ze nooit meer 'goed, meneer mijn vader' hoefden te zeggen of 'ja, meneer mijn vader'.

Twee beloningen

Natuurlijk wist heel Utrecht het binnen een paar dagen. De marktkoopman met de kraam vol peren vertelde het aan al zijn klanten: 'Bosman is door de basilisk verslagen.' En: 'De basilisk is verslagen door de stiefdochters van Bosman.'

'Welnee, man,' zei een vrouw die peren kocht. 'Drie dappere helden hebben de basilisk verslagen en de drie schone jonkvrouwen bevrijd.'

'Welnee, hoe kom je daarbij,' wist iemand anders te vertellen. 'Dat waren de stiefdochters van Bosman en het waren geen dappere helden, maar drie gevluchte weesjongens.'

'Wel heel dappere weesjongens!'

Ook de priesters van de Domkerk hoorden het verhaal en het duurde niet lang of een belangrijke priester stond op de stoep van het huis dat van Hendrik Bosman was geweest. Hij wilde wel eens weten hoe het zat met de basilisk, de drie dappere weesjongens en de goudschat, en of de kerk dat goud weer gauw zou terugkrijgen. Vooral dat laatste vonden ze in de Dom belangrijk.

'Zo zo, en waar zijn de drie helden?' zei de priester, toen hij in de lekkerste leunstoel zat – de stoel die van koopman Bosman was geweest. Hij kreeg meteen antwoord. Er klonk een gebolder en gebonk op de trap, kousenvoeten gleden over de tegels en daar kwamen Berk, Eik en Wilg binnenstormen. Ze werden achternagezeten door Den, Linde en Els. Ze waren zó druk bezig, dat ze de priester eerst niet eens opmerkten.

Maar toen de priester streng kuchte, was het afgelopen met elkaar achternazitten.

De drie jongens herkenden hem direct. Dit was vader Augustinus, die eigenlijk de baas over het weeshuis was. Kwam hij hen halen? Nee toch zeker? Moesten ze terug naar de lijmpap en de timmerwerkplaats? Moesten ze weer planken sjouwen en spijkers recht slaan?

Gelukkig herkende vader Augustinus de drie broers niet. Hij kwam te weinig in het weeshuis en er waren te veel weeskinderen. Bovendien dacht hij altijd alleen maar aan goudschatten.

De moeder van de drie zussen kwam binnen met een glaasje wijn, want daar was vader Augustinus dol op.

'Wie van jullie zijn de weeskinderen? Wie van jullie zijn de helden?'

De kinderen staken alle zes hun vinger op. Ze waren tenslotte allemaal bijzonder dapper geweest.

Vader Augustinus nam een grote slok. 'Dan krijgen jullie een beloning,' zei hij. 'Jullie hebben de stad bevrijd van een vreselijk monster.'

'Van twee monsters zelfs,' mompelde Berk. 'Alleen het ene monster herkende je niet gemakkelijk als monster.'

Vader Augustinus luisterde helemaal niet. Hij was niet gewend om naar kinderen te luisteren.

'Twee beloningen heb ik zelfs!' zei vader Augustinus. 'De eerste beloning is dat jullie een wens mogen doen!'

De drie weesjongens keken elkaar glunderend aan. Ze hadden eigenlijk maar één wens, maar daarvoor moesten ze niet bij de priester zijn. Ze keken naar de moeder van de meisjes.

'Nou eh ...' begon Berk. 'Wat wij heel graag willen, is een nieuwe moeder, want we hebben geen moeder meer. Mag Johanneke onze moeder worden?'

Vader Augustinus begon te glimmen. Dat was nog eens een fijne wens van die drie heldhaftige jongetjes. Deze wens ging hem helemaal niets kosten!

Johanneke begon ook te glimmen. 'Graag!' riep ze enthousiast. 'Ze hebben mijn dochters gered. We hebben ruimte genoeg in huis. Verder hebben we eten genoeg en een pakhuis vol spullen.'

'Hoera!' riepen Berk en Eik.

En Wilg vroeg: 'Wat? Wat mogen we?'

'Dan hebben we eindelijk allemaal dezelfde moeder en zijn we échte broers geworden!' juichte Berk.

Deze keer verstond Wilg het wel. 'En we hebben er drie zussen bij gekregen!' zei hij, terwijl hij een diepe rimpel in zijn voorhoofd trok. 'We kunnen dan alleen niet met ze trouwen.'

Dat was weer een verstandige opmerking. Ze stonden er allemaal van te kijken.

'Ach,' zei Berk, 'wat geeft dat nou? We zijn nog veel te jong om te trouwen. Later, als we groot zijn, vinden we vast weer een monster met gestolen jonkvrouwen of een gestolen goudschat.'

Iedereen was het ermee eens. Ze waren veel te blij met hun nieuwe moeder en hun nieuwe huis waar ze altijd mochten blijven wonen.

'Dat is mooi,' zei vader Augustinus. 'Dan is het nu tijd voor de tweede beloning. Ik benoem jullie officieel tot Utrechtse stadshelden. Jullie mogen voortaan zoveel heldendaden verrichten als jullie willen. De eerste heldendaad is op zoek gaan naar de goudschat onder de Domkerk. Want stel je voor dat daar een ander monster op af komt. Monsters kunnen goud ruiken, dat weten jullie natuurlijk wel.'

'Wat?' vroeg Wilg. 'Ik versta er helemaal niets van. Ik ben hartstikke doof.'

En Eik zei: 'Ik zie geen steek, zelfs niet als de zon schijnt, dus in het donker weet ik al helemáál niet waar ik ben.'

Berk maakte de slimste opmerking. 'Wij hebben van onze moeder geleerd dat we niet hebberig mogen zijn. Twee beloningen vinden wij véél te veel. Dank u, dat u zo ontzettend gul bent, maar de eerste beloning is genoeg. De tweede hoeven we helemaal niet.'

Wat vader Augustinus ook probeerde, de drie broers bleven bescheiden en wilden beslist maar één beloning hebben.

Vader Augustinus vertrok nogal kwaad. Hij begreep dat hij het helemaal verkeerd had aangepakt.

In het grote huis vierden de drie broers, de drie zussen en hun moeder samen feest.

Onder de Utrechtse Dom ligt nog steeds die goudschat in een donker hol waar ooit een basilisk woonde.

Het is allemaal al zó lang geleden dat iedereen die schat allang vergeten is. Of zouden er op een dag toch drie helden door de donkere, onderaardse gangen zijn geslopen om de goudschat te zoeken?

Wilg, Berk en Eik hoefden niet meer zo nodig onder de grond. Die hadden hun hemel op aarde gevonden met een lieve moeder en met drie prachtige prinsesjes met wie ze later vast zouden gaan trouwen. Maar zo ver was het nog lang niet. Voorlopig leefden de drie weesjongens lang en gelukkig ...

Hennie Molenaar
Spion voor de prins

'Kan ik niets anders doen?' vroeg Marnix.
'Je zou eigenlijk tevreden moeten zijn. Je wilde zelf het
leger in; daar hoort dit werk bij. Maar goed …' zijn
vader dacht even na. 'Er is wel iets. Ik weet alleen niet
of je daar geschikt voor bent.' 'Wat dan?'
'We hebben onopvallende jongens nodig, die bekijken
hoe de situatie in Den Bosch is en dat aan ons
doorgeven.' 'Spioneren!' riep Marnix enthousiast.

Marnix wordt spion voor de prins en het lukt hem de
belegerde stad binnen te komen. Daar ontmoet hij
Geertrui. Zij hoort bij de vijand, maar Marnix vindt
haar erg aardig. Kan dat eigenlijk wel?

Met tekeningen van Camila Fialkowski

Peter Vervloed
En hier is ... Niels!

Niels verhuist van een dorp naar een stad. Hij vindt het
vreselijk. Hij moet afscheid nemen van zijn vrienden
en, nog erger, van zijn vriendinnetje Merle! In het
nieuwe huis is alles vreemd. En op zijn nieuwe school
ook. Niels heeft het echt niet naar zijn zin. Als hij ook
nog wordt uitgescholden, besluit hij dat het tijd is voor
actie. Hij gaat terug naar zijn oude, vertrouwde dorp.
En wel onmiddellijk, op de fiets!

Met tekeningen van Els van Egeraat